Para mi abuela Estrella que me contaba este cuento todas las noches.

Olalla González

Para Brais, Duarte, Gael, Inês, Iria, Iván, Lía, Lara, Mateo, Mariña y Xoquín,
esos pequeños lectores.

Marc Taeger

... y nuestro agradecimiento a la Fundación Joaquín Díaz por la información aportada
sobre este cuento tradicional.

Colección **libros para soñar**

© de la adaptación: Olalla González, 2008
© de las ilustraciones: Marc Taeger, 2008
© de esta edición: Kalandraka Ediciones Andalucía, 2008
Avión Cuatro Vientos, 7 - 41013 Sevilla
Telefax: 954 095 558
andalucia@kalandraka.com
www.kalandraka.com

Impreso en C/A Gráfica, Vigo
Primera edición: noviembre, 2008
ISBN: 978-84-96388-89-5
DL: SE-5215-2008

GARBANCITO

Adaptación de **OLALLA GONZÁLEZ** a partir del cuento popular

Ilustraciones de **MARC TAEGER**

kalandraka

Había una vez una familia que tenía un hijo muy pequeño,
tan pequeño como un garbanzo.
Por eso le llamaron Garbancito.

Un día, cuando su madre estaba haciendo la comida, notó que faltaba el azafrán.

Garbancito enseguida se ofreció para ir a la tienda.
Su madre nunca le dejaba salir solo de casa,
porque temía que la gente no lo viese y lo pisase.

Pero Garbancito insistió.
Le dijo a su madre que iría cantando;
así, aunque no lo viesen,
lo oirían y nadie lo pisaría.

Finalmente su madre aceptó y le dio una moneda
para que comprara un poco de azafrán.
Garbancito tomó el dinero y salió de casa cantando:

Pachín, pachán, pachón,
mucho cuidado con lo que hacéis.

Pachín, pachán, pachón,
a Garbancito no piséis.

Cuando Garbancito llegó a la tienda,
se acercó al mostrador y dijo:
—Señor tendero, señor tendero, por favor,
¿me da un poco de azafrán?

Pero el tendero ni lo oyó.

Garbancito volvió a decir un poquito más alto:
—Señor tendero, señor tendero, por favor,
¿me da un poco de azafrán?

Esta vez el tendero oyó algo, pero no vio a nadie.

Entonces Garbancito se puso de puntillas y gritó:
–Señor tendero, señor tendero, por favor,
¿me da un poco de azafrán?

El tendero se asomó al mostrador y le respondió:
–¡Ah, pero si eres tú, Garbancito! Toma el azafrán.

Garbancito tomó el azafrán,
le dio la moneda al tendero
y salió muy contento cantando:

Pachín, pachán, pachón,
mucho cuidado con lo que hacéis.

Pachín, pachán, pachón,
a Garbancito no piséis.

Cuando Garbancito llegó a casa,
le dio el azafrán a su madre
y juntos acabaron de hacer la comida.

Entonces, Garbancito quiso llevársela a su padre
que estaba trabajando en el bosque.
Pero su madre no le dejaba porque la cesta
era demasiado pesada.

Aun así, Garbancito insistió.
Tomó la cesta y se la subió a los hombros.
Al ver que su hijo podía con ella,
la madre le dejó ir.

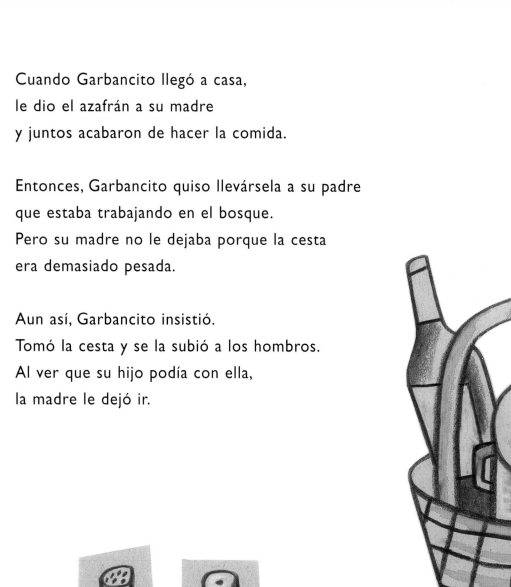

Y Garbancito salió hacia el bosque cantando:

Pachín, pachán, pachón,
mucho cuidado con lo que hacéis.

Pachín, pachán, pachón,
a Garbancito no piséis.

Pero mientras caminaba,
comenzó a llover mucho, muchísimo;
y Garbancito se refugió bajo una col.
Allí estaba tan a gusto
que se quedó profundamente dormido.

Muy cerca del camino había un buey que tenía mucha hambre.
Cuando vio aquella col grande y jugosa
se la comió, y con ella a Garbancito.

Mientras tanto, el padre, que seguía en el bosque
esperando la comida, se impacientó y decidió volver a casa.

Cuando llegó, su mujer le contó que Garbancito le había llevado de comer,
pero que aún no había regresado.

Muy preocupados, los padres salieron a buscarlo gritando:

–Garbancito… ¿dónde estás?
Garbancito… ¿dónde estás?

Como no lo encontraban,
se encaminaron hacia el bosque gritando:

–Garbancito… ¿dónde estás?
Garbancito… ¿dónde estás?

A lo lejos escucharon una voz que decía:

–En la barriga del buey que se mueve,
donde no truena ni llueve.

Los padres buscaron y buscaron,
hasta que vieron a un buey
que parecía tener hambre.
Se acercaron, le dieron de comer y...

... el buey tanto comió y comió, que con un pedo Garbancito salió.

Juntos volvieron a casa cantando:

Pachín, pachán, pachón,
mucho cuidado con lo que hacéis.

Pachín, pachán, pachón,
a Garbancito no piséis.